Le

Petit

Carnet

Rouge

Dépôt Légal

Bibliothèque Nationale du Québec

Bibliothèque Nationale du Canada

1er trimestre 2015

Christian L. Ducharme-Gauthier

Le Petit Carnet Rouge

Première Édition

Du même auteur:

Recueil de Minuit - Nouvelles

www.facebook.com/vaderetrolivre
christianldg@outlook.com

Bon matin!

Préface

«Cette année nous tenterons de déceler la nuance entre la culture... et l'agriculture» Mon professeur, qui affichait toujours le plus grand des respects pour les autres, ne tenait aucunement à offusquer qui que ce soit en nous exposant cette image. Il espérait, tout simplement, que certains d'entre nous saisissent le fait qu'il existe bel et bien une échelle de niveau de conscience, un plus et un moins humaniste, un haut et un bas discernement.

C'est une chance d'avoir eu ce professeur, qui nous a apprivoisé à apprécier l'élévation de la dignité humaine.

RECUEIL DE MINUIT, l'aîné des bijoux de Christian L. Ducharme-Gauthier m'a fait monter dans une échelle, puis m'asseoir sur un nuage qui m'a entraîné dans une foule d'aventures avant de me redéposer bien délicatement dans notre univers. Il a ce don, que seul Peter Pan avait, croyait-on. Avis à ceux qui ont le vertige!

Pour ma part, comme pour la plupart d'entre vous, j'éprouve bien du plaisir à sentir mes pieds décoller du sol, alors je ne vous retarderai pas plus longtemps, en terminant avec cette petite histoire:

«A quoi ça sert d'apprendre à lire mademoiselle?», avais-je demandé à mon professeur de première année.

«Tu es trop jeune pour comprendre, mais un jour tu comprendras». J'étais très offensé de cette réponse mais, en pénétrant les textes de Christian L. Ducharme-Gauthier, je dois bien admettre qu'elle avait raison…encore une fois.

Marco Paradis

Avant-Propos

Je ne me suis jamais considéré comme un poète. J'aime lire et écrire et l'une de mes formes d'écriture préférées est la poésie. J'aime autant les vers de Shakespeare que ceux de Blake ou de Nelligan. Tout comme, j'aime autant un poème qu'une nouvelle ou une bande dessinée.

J'ai commencé à écrire de la poésie il y a plusieurs années. Il s'agissait alors de premiers poèmes plutôt maladroits d'un adolescent tentant de transcrire ce qu'il ressent dans le langage romantique par excellence.

Je me suis ensuite tourné vers l'écriture de paroles de chansons. Exit les règles fermées du poème classique et libre place à l'imagination sans contrainte... Sauf qu'il y avait des règles malgré tout. Les paroles devaient garder un rythme afin de pouvoir être éventuellement transférées sur la musique.

Nouveau départ donc! Direction, la nouvelle. Depuis mon cours de français de secondaire deux, cours durant lequel j'ai écrit ma première nouvelle, j'ai toujours eu un faible pour ce style littéraire. Ce penchant me suit toujours puisque la majorité de mes écrits sont sous cette forme.

Cependant, je n'ai jamais délaissé la poésie. Alors que je composais mes paroles de chansons, sans musique il faut le préciser, c'était en fait des poèmes en vers libres que j'écrivais. Je ne le savais cependant pas au moment où je les écrivais.

Laissez-moi vous parler du vers libre. Notre rencontre fut une révélation. Je n'ai jamais détesté à ce point devoir choisir mes mots selon le nombre de pieds ou la rime nécessaire pour clore un vers. Certains auteurs sont en mesure de respecter ces règles, et plus encore, sans dénaturer leurs propos... Pas moi.

Je suis conscient de mes limites, qu'elles soient réelles ou psychologiques. Certains poèmes de ce recueil respectent les règles du poème classique. Dans les rares cas où c'est ainsi, c'est que le poème m'a laissé le guider dans ce sens. Telle est la façon dont j'écris. Peu m'importe la forme, y compris cet avant-propos qui se dirige dans une direction toute autre que celle que j'avais imaginée au départ, je laisse le message déterminer la forme.

Je vais conclure cette section pour laisser place à la raison première de ce bouquin, la poésie, sous peu. J'aimerais simplement prendre un petit espace pour remercier certaines personnes.

Premièrement, je remercie mon ami Karim Lapierre. C'est lui qui m'a fait redécouvrir les joies d'écrire de la poésie au mois de juillet alors que je l'accompagnais à sa première lecture publique de poésie (il avait été génial d'ailleurs).

Ce qui m'emmène à mon second remerciement. Merci à Yvon Jean qui anime les soirées Chapeau Noir au Bistro de Paris, rue Saint-Denis, à Montréal. C'est à l'une de ses lectures que j'ai été écouter Karim. L'ambiance et la générosité instaurées par le maître de la soirée m'a électrisé et je n'ai eu d'autre choix que de m'essayer moi aussi, deux mois plus tard.

Un avant-dernier merci pour mon ami Michel qui prend de son temps pour lire mes élucubrations pestiférées de fautes de frappe et/ou d'orthographe avant de les corriger. Sans lui, mes petits livres n'existeraient pas.

Mon dernier remerciement va à Marco, mon parrain. Tout d'abord, je le remercie d'avoir accepté d'écrire ma préface. Je le remercie aussi d'être celui qu'il est. Il n'a que faire des contraintes de la société. Il vit son rêve comme il l'entend. Il est pour moi une source d'inspiration constante.

Finalement, je vous laisse voyager vers la poésie avec une petite mise en garde. J'aime le chaos, vous le verrez avec le second poème de ce recueil. J'aurais pu placer les poèmes par section pour faciliter une lecture plus fluide par thème mais je ne l'ai pas fait. Je répète, j'aime le chaos. La poésie est chaos. Elle n'est pas faite pour être enfermée mais bien libérée, c'est donc ainsi qu'elle se trouve dans ce recueil, libérée...

Christian L. Ducharme-Gauthier

Première Partie

Vie

La terre est aride,
Rien n'y a jamais poussé,
La vie n'a jamais été
En cet endroit vide.

Puis, tombée des cieux,
La première goutte d'eau,
Celle annonçant le lever du rideau
En cet univers béni de son dieu.

Sitôt touchée la terre,
Elle disparaît à tout jamais,
Avalée par celui qui n'est pas prêt,
Attendant sa venue en cette ère.

Une goutte se joint à la première
Et c'est un déluge qui s'ensuit.
D'aride, la terre est noyée par la pluie,
Préparant celui qui s'y trouve pour la guerre.

Car chacun sait une chose.
Venir à la vie est un combat.
Les plus faibles finissent en repas.
Ce ne sera pas son cas car il s'impose.

D'une idée immatérielle,
Il devient bien vite réel,
Étendant obstinément ses branches,
Fort de l'eau dont sa soif s'épanche.

Enfin sorti de la terre,
Il grandit, toujours plus fort,
Jusqu'à ne plus pouvoir le faire,
Ayant finalement atteint sa forme d'or.

La première goutte est loin.
Plutôt que d'eau, elle était d'encre.
Pour nourrir ce papier vierge
D'un premier poème.

Chaos

Né du bruit,
Des émotions fortes,
De la violence ambiante,
Je suis du chaos.

L'ordre m'ennuie,
Le calme est mon ennemi,
Je m'abreuve de la souffrance,
Je suis du chaos.

Les désastres naturels
Font mon bonheur.
J'aime la destruction,
Je suis du chaos.

Baignant dans le malheur,
J'y nage comme un requin,
Chassant les faibles,
Je suis du chaos.

À ma mort,
Les gens danseront
Et feront un feu
Qui s'étendra
Et brûlera leurs récoltes.
Dans ma mort, je rirai.
Je suis le Chaos.

Sommeil

Morphée me tend les bras,
Elle n'attend plus que moi,
Afin de terminer sa tournée.
Elle pourra alors se coucher.
Lorsque mes yeux seront fermés
Et que j'aurai enfin laissé
La paix m'emporter
Envahi par le sommeil, je dormirai.

Intemporel (2ème partie)

Un moment choisi,
Béni entre tous,
Unique en son genre,
Un moment intemporel.

Je t'ai vu pour la première fois
Mais je te connaissais déjà.
Nous discutions depuis près d'un an
Mais jamais face à face.

Venu le moment du rendez-vous,
J'étais tellement nerveux.
J'ai cru m'évanouir,
Tant mieux, ce ne fut pas le cas.

Tes grand yeux curieux
Exploraient les alentours
Alors que les miens
T'observaient dans les moindres détails.

Puis ta voix a rempli le silence,
Me ramenant à l'instant présent.
Je t'ai souri,
D'un véritable sourire honnête.

Tu te dirigeais vers moi,
Je te tendais les bras.
J'ai pu te prendre
Et mon bonheur a explosé.

Un moment choisi,
Béni entre tous,
Unique en son genre,
Un moment intemporel.

Celui pour un père,
Prenant une première fois,
Son enfant dans ses bras;
Ma Coralie, ma fille, mon amour.

Passion

L'humain est un être d'émotions,
Elles le gouvernent sans vergogne,
Qu'il soit d'accord, où elles le cognent,
Il n'y a que peu d'exceptions.

Vous ne serez donc pas étonnés
Lorsque je vous avouerai
Être moi aussi l'esclave malmené
D'une passion incontrôlée.

Je vais vous parler un instant
De qui je suis réellement,
De mon passé assez récent,
J'avais l'esprit violent.

Jeune, j'étais souffre-douleur à l'école,
J'étais alors frêle et pacifique.
Les brutes aimaient ma vie, chaotique,
Ils me suivaient comme de la colle.

Jusqu'au jour où j'en ai eu assez,
J'étais alors plus qu'excédé.
Je me suis retourné et j'ai empoigné
Par le collet, une brute que j'ai lancée.

Les émotions avaient pris la place de la raison,
Finie la paix, faites place à la violence.
Plus jamais, je ne serais victime du silence,
J'étais maintenant gouverné par la passion.

Une passion malsaine, cependant,
Je l'ai compris avec le temps.
En réagissant agressivement,
Je m'éloignais des gens m'aimant.

Lorsque je fus confronté au phénomène,
Je ne l'ai d'abord pas cru,
J'étais bien trop bourru,
Il a fallu que je sois témoin de la peine.
La peine que je laissais derrière moi,
Par l'agressivité vivant dans ma voix,
Par mes sautes d'humeur de petit roi,
Ces blessures, infligées d'innombrables fois.

Ce fut un long chemin de croix
Pour cesser d'être gouverné
Et plutôt enfin diriger
Et marcher droit.

Plutôt que d'être l'esclave des émotions,
J'ai mis la bride sur la passion,
L'employant au profit de la création,
Exorcisant mes démons.

Keep
Calm
And
Write
On!

Merci

Le mois dernier,
J'étais terrorisé
Simplement à l'idée
Que j'allais réciter.
La peur m'a déserté,
Votre accueil m'a calmé,
Je suis revigoré,
Prêt pour une autre soirée.
Si je suis ici,
C'est pour vous dire ceci,
Merci.

Belle

Oh! ce qu'elle est belle!
Dans sa jolie robe de dentelle,
Dansant sur son rythme à elle,
Toujours unique et rebelle.
On ne peut s'empêcher de la regarder,
Les femmes avec une jalousie camouflée,
Les hommes avec un désir peu caché.
Ils veulent tous l'aimer.
Sous ses airs de perfection
Se cachent bien des émotions,
Menée par la passion,
Blessée par la diffamation.
Oh! ce qu'elle est belle!
Esseulée dans son monde à elle,
Rêvant d'un paradis spirituel,
Le regard tourné vers le ciel.

Parole

Avertissements...

Les vers suivants peuvent ne pas convenir à un
public croyant.
La supervision des athées est conseillée.

In nomine Patris,
Et Filii,
Et Spiritus Sanctii,
Amen.

Ici Dieu,
Le Saint-Père,
Le Tout Puissant,
Oh my God!

Je suis présent
En ce moment
Et en tout temps
Pour vous, mes chers enfants.

Je dois vous avouer
Être quelque peu effaré
Par vos choix éhontés,
Par vos croyances déplacées.

Le Paradis vous attend?
Je ne crois pas pourtant.
Pour vous tous, non-croyants,

Je vous garde une place chez Satan.

Et pour mes fidèles sujets,
Ceux qui croient en moi, malgré mes rejets,
Ceux dont les péripéties m'amusaient,
Vers l'enfer, vous suivrez le trajet.

Je suis un être bienveillant
Mais je vous juge constamment
Et aucun de vous, petits garnements,
Ne mérite sa place au firmament.

Je préfère demeurer seul.
Ce n'est pas tous ceux qui veulent
Qui peuvent finir par voir ma belle gueule,
Comptez-vous chanceux d'avoir vu votre aïeul.

Je vais vous laisser sur ces derniers vers,
Concernant vos incessantes prières.
J'en ai assez, faites les taire,
Sinon, je vous envoie en enfer!

Route

Infinie est la route,
Qu'elle soit passée ou future,
Elle s'étend,
Tout simplement.

Mes pieds sont ancrés dans le présent,
Point fixe de mon existence.
Peu importe la distance que je parcours,
Le temps me rattrape, invariablement.

Terre,
Béton,
Bois,
Roche,
Je les ai tous connus.
Vent,
Pluie,
Neige,
Grêle,
Tous furent mes compagnons de voyage.
Nuit,
Aube,
Jour,
Crépuscule,
J'ai vagabondé à toute heure.

Infinie est la route,
Qu'elle soit passée ou future,
Elle s'étend,

Tout simplement.

Le pavé de mon passé
Me semble inégal et maladroit.

Au fil des saisons,
Nous parcourons le chemin de la vie.
D'abord en rampant,
Puis, à quatre pattes,
Quelle joie lorsque nous marchons,
Pour terminer, appuyé sur une canne.
Des premiers pas,
Jusqu'au dernier,
Nous ne faisons
Qu'avancer.

Lorsque vient le moment
D'enfin nous reposer,
Que le présent a atteint le futur et attendu le passé,
On s'assoit sur la chaussée.

Infinie est la route,
Qu'elle soit passée ou future,
Elle s'étend,
Tout simplement.

Congruence

Les chemins de nos vies se rencontrent parfois,
Seulement pour un instant, certaines fois plus longtemps.
Lorsque la congruence se produit, nous savons
Sans l'ombre d'un doute que notre vie sera changée.
Peu importe les plans précédent le croisement,
Un tel bouleversement change le cap établi.
Par un calcul alchimiste, deux vies ne sont qu'une,
Aucune des précédentes ni la somme de toutes deux,
Créant l'inimitable changement de l'établi,
Cette congruence de deux êtres créant leur destinée.

Liberté

Vers de vent
À la beauté libre,
Virevoltant déchaînés,
Libérés des pensées.
Libres esseulés
Aux contraintes oubliées,
Voyageant au gré
De courants écervelés.
Apapierire sans poids
Sur les lignes directrices
D'un papier ligné
De barreaux de prison.
Finie la liberté,
Conformité programmée,
Serrer les rangs
D'un poème naissant.

Errance

J'erre, sans but, sans patrie,
Laissant mes pas me guider,
Poussant toujours plus loin,
Vers des contrées inconnues.

Je ne sais où je vais,
Simplement que je n'y suis pas,
Ni n'y ait jamais été,
Je le saurais au fond de moi.

Mes souliers sont déchirés,
Mes pieds, ankylosés,
Je traîne les stigmates de mon errance
Sur mon chemin de Compostelle.

Je suis un paria,
Nulle part chez moi,
Toujours aux aguets,
Du moment où partir.

La route est ma maîtresse,
Elle m'accueille de nouveau,
Peu importe si je l'ai délaissée,
Elle laisse mes pieds la caresser.

Marginalisé de la société,
Ne comprenant pas ma liberté
De sans cesse désirer voyager
Au bon vouloir de mes pas.

Ils ne peuvent comprendre,
Ces conformistes de salon,
Que lorsque l'on cesse de chercher son bonheur,
Notre mort débute inexorablement.

Not all those
Who wander
Are lost.

Démons (Triptyque)
Envie

Tu m'observes à la dérobée,
Les yeux remplis de convoitise.
Tu as envie de moi,
Même pour un instant.

Éphémère est un mot que j'aime.
Bien vite l'acte consommé,
Je t'aurai quitté.
Sitôt que tu m'auras payé,
Mon souvenir s'estompera.
Tout ce qui te restera de moi
Sera tes billets manquants.
Le plaisir que je t'offre est payant.

Comme pour tous mes clients,
Je sais qu'une fois accroché,
Tu reviendras toujours à moi,
Mon hameçon est profond.

Dans un moment de force,
Tu croiras pouvoir me laisser.
En quelques semaines, tu ramperas à mes pieds,
Me suppliant de te pardonner.

Comme je ne juge personne,
Je t'offrirai mon euphorie,
Pour peu que tu aies le prix
Pour l'une de mes nuits de folie.

Tu seras de nouveau à moi.
Allez bois-moi.
Laisse-moi couler en toi.
Laisse-moi t'intoxiquer.
Allez, bois-moi...
Cul sec!

Démons (Triptyque)
Légèreté

Les volutes de fumée bleue,
Exhalées par des centaines de bouches
Toutes plus avides les unes que les autres
D'un instant de bonheur éphémère,
Se joignent au nuage oppressant,
Présent depuis la nuit des temps,
Dérivant lamentablement,
Au gré des vents,
Sous le ventilateur de l'establishment.

Clic

Une flamme surgie des ténèbres ambiantes.
Elle s'approche doucement
D'une cigarette à l'attente,
Juchée au coin d'une bouche avide,
Attendant impatiemment sa dose de poison.
Le feu grésille en allumant l'embout,
Illuminant un court instant
La chambre glauque.

Aspiration

Alors que le fumeur prend en lui
La première bouffée de son vice adoré.
La fumée dense dance,
Coulant en lui,
Emplissant sa bouche,

Sortant de ses narines.

Expiration

L'extrémité incandescente
Laisse lentement place à la cendre
S'accumulant inexorablement
Jusqu'à faire plier
La cigarette sous son poids.

Exaltation

Il mêle sa fumée au nuage,
Inconscient de n'être qu'un rouage,
Le passager perdu d'un naufrage,
Victime d'une société sans âge,
Vedette incontestable du gaspillage.

Expiation

Le glas sonne.
La cendre tombe sur le sol.
Oui, tu es poussière
Et à la poussière tu retourneras!
Le corps sans vie gît dans son cercueil
Alors que sa cigarette s'éteint.
Le dernier clou est planté.

Démons (Triptyque)
Traversée

Prépare bien la dose,
Ne sois pas timide,
Je dois m'en rappeler
Lorsque je traverserai.

Sors la poudre du sac,
Dépose-la doucement,
Délicatement,
Dans la cuiller en argent.
Sors ton Zippo,
Pas ton Bic du Dollarama,
Je veux de la qualité
Pour pouvoir bien buzzer.
De ta main droite,
Tiens la cuiller fermement.
Ne renverse rien
Ou je t'en fais payer le prix!
De la main gauche,
Allume la flamme du briquet.
Assure-toi qu'elle soit stable
Et emmène-la à sa place.
De légers cercles lents.
De tes deux mains,
Je veux voir le déplacement.
Ne brûle pas mon investissement.
La poudre se liquéfie?
C'est bien, continue ainsi.

Prépare bien la dose,
Ne sois pas timide,
Je dois m'en rappeler
Lorsque je traverserai.

Trempe précisément l'aiguille
Dans le récipient.
Veille à ne rien gaspiller,
Remplis-la à satiété.
Dépose la seringue de côté.
Tu es mieux de ne pas l'abîmer!
Ton rôle est temporairement terminé,
Le temps de préparer les festivités.
Remonte ma manche,
Fais bien attention aux boutons.
Ils valent à eux seuls
Ton salaire de misère.
Noue l'élastique fermement,
N'aie pas peur, chenapan.
Il t'aidera à trouver
L'endroit où piquer.
Ça y est?
Tu l'as vue?
La veine bienvenue,
Elle n'attend que toi.
De ta main dextre,
Soulève la seringue.
Traite-la avec précision
Comme un amant en pamoison.

Prépare bien la dose,
Ne sois pas timide,
Je dois m'en rappeler
Lorsque je traverserai.

Tout est prêt?
Es-tu prêt?
Je suis prêt...
J'en ai assez de souffrir...
Je suis prêt à partir.

Sérénité

Douce nuit qui m'accueille
Tel un disciple esseulé,
Abandonné de ses camarades.
Car c'est ainsi que tu es vénérée,
Seule,
Envers et contre tous,
Victime des pires ragots,
Gardant toujours le port fier.
Tu cherches les marginalisés.
Tu les accueilles
Dans ton linceul.
Car la nuit,
Tous les chats sont gris.

Encre

L'encre a coulé,
Venin de tes crocs,
Arrosant violemment
Mon cœur laissé béant.

L'encre a coulé,
Remplaçant successivement
Les souvenirs d'antan,
Effaçant notre vie.

L'encre a coulé,
Tachant irrémédiablement
Celui que j'étais,
Celui que je suis.

L'encre a coulé
De tes yeux, tes mots, tes plumes
D'ange d'ébène
À la beauté meurtrière.

L'encre a coulé.
Je m'y noie.
Je n'aperçois ni fond, ni surface.
Autour de moi, tout est noir.

L'encre a coulé,
Emplissant sans état d'âme
Ce qui est bon en moi
Comme ce qui l'est moins.

L'encre a coulé.
Tout est noir.
En dedans comme en dehors.
Désespoir.
Tout est noir...
D'encre.

Souvenirs

Enfant riant allègrement
Du plaisir insaisissable,
De la légèreté incomparable,
De l'innocence à qui l'on ment.

Qu'elle est belle la vie!
Avant d'être forcé,
Avant d'être confronté
À la vérité qui détruit.

Ris enfant!
Toi dont la vie est si belle,
Mors-la comme un bon caramel
Pendant qu'il est temps.

Aie pour seul souci
Celui de ne pas savoir
Si la pataugeoire
Sera ouverte cet après-midi.

Tu grandiras bien assez rapidement.
Profite du moment présent.
Il ne durera pas éternellement.
Tu seras bientôt un grand.

Tu laisseras alors derrière toi
Ton innocence irrécupérable.
Tu avanceras dans cette vie irraisonnable
En te demandant, mais pourquoi?

Il n'y a pas de réponse.
C'est cette vérité si dure à avaler
Qui noircira tes pensées
Et te piègera dans ses ronces.

Pour t'en échapper,
Tu songeras à rédiger
Les souvenirs d'un enfant libérés
Dans un poème résigné.

Sensuelle

Sensuelle, tu l'es.
Tes généreuses courbes
Attirent mon regard
Et provoquent ma dévotion.

Je te déshabille délicatement,
Gardant mes doigts avides
Loin de tes plaisirs intimes.

Habillée, tu es sensuelle.
Nue, tu deviens sexuelle.

J'humecte mes lèvres,
Te dévorant du regard.

Je te tiens contre moi,
Je t'embrasse langoureusement,
Ma langue voyage sur toi,
Libérant dans ma bouche avide
Tes délicieux plaisirs.

J'augmente le rythme.
Ma langue danse sur toi,
Ton jus devient plus intense,
Je le bois avec plaisir.

Notre amour consommé,
Je me dois de te quitter.
Je ne peux te garder.

J'ouvre la poubelle,
Je jette ton emballage
Et tes deux bâtons de bois.
Adieux au Popsicle.

Interlude en
Vingt-Mille Mots

J'ai toujours considéré que la poésie est la forme d'écriture la plus imagée qu'il soit. De la même façon, je crois que l'image est l'une des meilleures formes de poésie en ce monde.

Malheureusement, n'ayant aucun talent en peinture ou en dessin, je me suis mis très tôt à la photographie. J'ai toujours aimé tenter de capter ce que j'aperçois afin de graver un moment particulier pour l'éternité.

Les photos de cette section ont été croquées par divers objectifs. Certaines ont été prises à l'aide de mon téléphone, certaines autres avec ma caméra Canon manuelle et d'autres par ma caméra Samsung automatique, tout dépendant de ce que j'avais sous la main.

Arbre de Vie

Arbres de Mort

Blair Witch Project Montreal

La Force des Marées

Eye of the Sun

Pilotis Boisés

Monument

Obsolescence Programmée

Water Angel Knows

Sinistère de l'Édulcoration

Libellule

'Murica

Dark Skies

Passager Clandestin

Québec

Montréal

Big Apple 1

Big Apple 2

Regarde ce qui joue à Tivi

Engrenages du Temps

Deuxième
Partie

Admission

Au bar des rejetés,
Tous sont les bienvenus.
Au bar des rejetés,
Nul n'est jugé.

Le zombie au comptoir
Demande un cerveau bien noir
Avant de s'apercevoir
Qu'il s'est bien fait avoir.
On lui a servi un blond,
Bien beau et tout rond,
On lui a servi un citron,
Abomination, quelle aberration!

La porte s'ouvre en grand.
Dracula entre avec boucan,
Poussant nonchalamment
Tous les vampires affleurant.
Un O négatif on the rocks,
Qu'il commande en sortant five bucks,
Il a beau être riche comme Fort Knox,
Il dort quand même in a box.

Le loup-garou est nerveux,
Il est toujours anxieux
À l'idée qu'un envieux
Glisse de l'argent dans son verre houleux.
Ses réflexes prennent le dessus.
En essayant de passer inaperçu,

Il se rapproche des sangsues.
Elles le protègeront des inattendus.

Le fantôme se manifeste au bar,
Avec ses pancartes couleur or
Proclamant bien haut et fort
Qu'il est un individu à part.
Il tente d'ingurgiter
Avec toute sa volonté
Le contenu ambré
Du verre abandonné du canidé.

La momie sort des WC,
Laissant la porte se refermer
Sur l'une de ses bandelettes restée accrochée,
L'obligeant à s'arrêter.
Sentant les regards posés sur elle,
Elle se retourne, solennelle.
Un rire s'échappe, rebelle
Et la salle suit, spirituelle.

Dans la cuisine, les buvetières,
Trois sœurs pas nées d'hier,
Prennent les commandes des cuisinières
Pour les ramener aux sorcières.
Un œil de morue,
Un pied bien velu,
Pour peu, on se serait crus
Dans les égouts sous la rue.

Frankenstein tient la place,
Demeurant de glace
Devant ses clients sagaces.
Pour lui, ce ne sont que des rapaces
Qui manquent de classe,
Salissant son palace
Avec leurs histoires salaces.
Il aimerait bien fermer la place.

Au bar des rejetés,
Tous peuvent rester,
Jusqu'à trois heures sonnées.
Ensuite, déguerpissez!

Partage

La poésie est partage...
Elle brise les murs
De l'isolement collectif,
De l'apathie forcée,
D'une société qui nous veut...
Contrôlés.

Lève-toi poète!
Libérateur des mots,
Peintre du verbe,
Porteur de la flamme,
Irraisonnable liberté d'une époque...
Résignée.

Tu es la lumière dans les ténèbres,
Celui qui sait ce qui est oublié,
Le maréchal de l'imagination,
Le croyant parmi les moutons,
Celui que l'histoire humaine voudrait...
Réprimer.

Envole-toi de tes ailes
Sur des vers libres.
Laisse l'encre couler de tes plumes
Et noircir des centaines de pages...
Pour qu'enfin, nous soyons...
Acceptés.

Partagez!

Réponse

Avertissements...

Les vers suivants peuvent ne pas convenir à un
public croyant.
La supervision des athées est conseillée.

!nemA
itcnaS utiripS et,
iiliF et,
sirtaP enimon nI.

Comment me présenter?
Je suis connu sous de multiples noms.
Samaël, Satan, Lucifer,
Devil!
On m'a aussi donné des titres.
Prince des mensonges,
Seigneur des Enfers,
L'Adversaire.

Mais qu'en est-il vraiment?

Je suis un fils,
Abandonné de son père.
J'ai dû quitter la maison
Et m'installer dans un demi-sous-sol,
Non éclairé mais chauffé.
Somme toute?
Un fils comme les autres.

C'est vous qui m'avez caractérisé
Comme un être vil.
Je veux faire le bien
Mais vous le prenez mal.

Mon père vous juge,
Il vous condamne sans émotion,
Il vous envoie chez moi en punition,
Moi, je vous attends avec excitation.

Si par erreur,
Vous vous retrouvez dans son loft,
Vous aurez droit à toute la salade du monde
Et à la musique des chérubins à harpes.

Chez moi, c'est le barbecue
Pour l'éternité!
Pour le côté musical,
J'ai Elvis, Michael Jackson et deux Beatles
Ainsi que tous ceux dont j'ai le contrat.

Le moment venu,
Si l'autre s'est enfermé,
Chez moi, vous serez acceptés.
Vous ne serez pas déçus.

Prison

Je suis l'impuissant prisonnier
Sans possibilité de libération,
Enfermé pour une peine de vie,
Sans contact avec l'extérieur.

De temps en temps, on me nourrit.
Je ne vois jamais mes bienfaiteurs.
Je broie le noir de ma prison
Où l'aveugle est roi.

Désespoir, tu es ma maîtresse.
Si je n'étais pas immobilisé,
Il y a longtemps que je me serais libéré,
Laissant mon corps sans vie
Se balancer au bout d'une corde.

On m'en empêche,
Je n'ai aucune liberté.
Je suis prisonnier
Pour l'éternité
D'un corps immobilisé
Par un accident
Qui m'a enfermé dedans.

Ma tête est mon tombeau,
Mes proches, mes geôliers
Et le personnel hospitalier,
Mes bourreaux inconscients.

Je voudrais tant me réveiller
Ne serait-ce qu'un instant
Pour leur demander
D'enfin me laisser aller.
Que je puisse quitter
Avec le peu de dignité restant
Cet infâme état d'être,
Plus mort que vivant.

J'en ai assez.
Je n'en peux plus.

Je ne rêve pas de verts pâturages
Ou de courir sur la plage.
Mes désirs sont simples.
Ouvrir les yeux,
Parler, voir, bouger, respirer!

Ah! oui, c'est vrai.
Même ça, je ne peux plus.
Je ressens l'inconfort.
De tout ce que je pouvais ressentir,
C'est l'inconfort qui a pris le dessus.
Le long tube de plastique
Qui descend dans ma gorge
Et fournit l'air
Dont mon cœur a besoin pour battre,
Qu'il est inconfortable,
Que j'aimerais le sectionner.

Je rêve d'entendre les alarmes sonner
Pour mon cœur qui aurait flanché.
Ce serait la plus belle des mélodies,
Celle annonçant...
Ma libération.

Elle

Tu es rentrée,
Tempête incontrôlée
Et tu as tout chambardé
Dans ma vie autrefois sans marée.
Tu y as emmené ta spontanéité.

Tu es rentrée,
Conquérante déterminée,
Ne prenant pas de quartier.
Tu as bien vite défié
Mon cœur conquis sans difficulté.

Tu es rentrée,
Aimante attentionnée,
Prenant soin de réparer
Ce qui en moi était brisé.
En un morceau, tu m'as recollé.

Tu es rentrée,
Je t'ai donné les clés,
Tu t'es installée
Et on s'est aimés,
Maintenant et pour l'éternité.

Esclavagisme

Je suis l'esclave obéissant
D'une société demandant
Que j'achète nonchalamment
Les nouveaux dieux hors du temps.

PC, Samsung, Sony, X-Box, Blu-Ray, Apple!

Ô dieux des temps présents,
Veuillez accepter mon offrande de paiement
Et me fournir mon pain quotidien
De marges de crédit et de cartes boostées
Afin que je puisse savourer
Netflix en HD
Sur ma TV soixante-douze pouces
Et profiter des screensavers
De la nature sauvage
Sur l'écran rétina de mon iPad adoré.

Amen!

Exorcisme

Vade Retro
Idées noires,
Violence ambiante,
Pièges de la vie quotidienne.

Vade Retro
Passion incontrôlée,
Haine dévorante,
Relations malsaines.

Vade Retro
Tout ce qui pourrit
Ma vie
Et corrompt
Mon âme.

Vade Retro!

Par le pouvoir des mots,
Je vous exorcise
Sur ce papier
Qui vous retiendra prisonniers!

Vade Retro...

Éléments

Le froid qui réside dans ta voix
Fait frissonner mon être au grand complet
Et glace mes os.

Le feu qui brûle dans ton regard
Incendie mon âme dépourvue,
Me laissant en cendres.

Au gré de tes passions, je vole
Sur tes vents de changements,
Je n'y suis que passager clandestin.

Lorsque finalement, tu te calmes,
Je retourne m'enraciner
Jusqu'à toi.

Crainte

La page blanche m'effraie
Bien plus que je ne le voudrais.
La crainte, de sa combustion,
Alimente la flamme de mon inspiration,
Illuminant le phare
De ma poésie.

Apo-câlisse

C'est la fin des temps!

Vraiment?

On dirait un premier du mois
Chez Nulle Part sur Hochelaga.
Les rues sont en ruines,
Plus de décorations de Noël ou d'Halloween.

C'est vrai que c'est quand même triste,
Ça donne un look cubiste...
Tu n'es pas trop sûr de ce que tu vois
Ni de ce que tu crois.

À force d'absentéisme
Aux cours de catholicisme
Et autres religions monothéistes,
Je crois qu'on en a fâché un en christ.

Je ne suis pas certain
Si ce sont les zombies que je crains
Ou les vivants désespérés
Qui errent sans GPS pour les guider.

Hier le maire est passé
Sur la dernière chaîne de télé.
Il voulait nous annoncer
Une nouvelle commission pour enquêter

À savoir si on est en sécurité
Avec tous les désastres qui nous sont arrivés.

C'est la fin des temps!

C'est l'Apo-câlisse!

Ode

Toi!
Oui, toi!
Laisse-moi te déclamer quelques vers,
Laisse-moi te déclarer mon amour.

Tes beaux cheveux roux
Couvrant autrefois ton joli visage
Sont maintenant disparus,
Victimes du temps ou des ravages.
Comme j'aimais y voir une fleur,
Délicate touche démontrant ta douceur.

Tu as perdu du poids.
Je sais que c'est généralement bon
Mais pas dans ce cas-ci.
Tu me fais peur.
De plantureuse et généreuse,
Tu es maintenant devenue squelettique.

Es-tu malheureuse?
Avant, tu chantais constamment.
Maintenant, c'est à peine si tu siffles
Et ils ne comprennent aucun plaisir.
De pleine de joie de vivre,
On dirait que tu es morte.

Malgré tout ce qui t'es arrivé,
J'aimerais te rappeler
Que pour toujours, je t'aimerai

Comme tu es.
Tu as bien beau changer,
Je vais continuer de t'apprécier.
Après tout, je connais ton secret.

Je sais que tes changements
Suivent le rythme des saisons.
Ta dépression sera bientôt finie,
Tes bourgeons éclateront
Et tu te couvriras de nouveau
De jolies feuilles vertes
Qui retourneront bien vite
Au roux qui te va si bien.

pprendre

Attention chers élèves,
Futurs piliers de la société,
Veuillez vous préparer
À une fouille des pensées,
À l'endoctrinement forcé.
La pensée critique est critiquée,
Les connaissances méconnues.
Vous n'êtes pas ici pour réfléchir
Mais pour avaler à la pelletée
La propagande autorisée
Par le Sinistère de l'Édulcoration.
L'enseignement va commencer.
Veuillez vous pencher par en-avant,
Prendre une grande inspiration
Et serrer bien fort des dents.

Ouvertures

Je déteste les gants blancs,
Ils ne servent qu'à sortir les vidanges.
Si j'ai quelque chose à dire,
Je le dis et c'est tout.

Je déteste les nez bruns
La merde reste de la merde
Que ce soit celle d'un millionnaire
Ou celle d'un itinérant.

Je déteste tourner autour du pot.
La ligne droite est le trajet court.
Mon temps est aussi précieux
Que celui de qui me le fait perdre.

Je déteste qu'on me parle d'ouvertures.
Je ne veux pas qu'on m'ouvre des portes,
Si je veux entrer, je vais entrer
Par moi-même, sur mes pieds, avec fracas.

Ultime

Dénouement de notre histoire,
Chapitre final,
Que dis-je, point final.
Caractère ultime de la dernière page.

Ce n'est pas une surprise,
Les signes étaient dans l'air,
Feuilles mortes virevoltant
Sur un vent d'automne.

Naviguant à l'orée de notre vision,
Jamais tout à fait clair
Mais toujours présents, néanmoins,
Signe inéluctable d'une fin prochaine.

Savoir, c'est une chose,
Le vivre, c'est tout autre.
L'inconscient s'est préparé,
Moi, je veux lutter.

Le confort des habitudes
Nous enferme à jamais
Dans la routine rondelette,
L'ennemie de la spontanéité.

Je m'accroche tant au passé
Alors qu'il ne veut que me quitter,
M'abandonnant sans un regard
Au rétroviseur du temps.

Cet abandon brutal,
Blessure ouverte laissée à vif
Cause une souffrance insoutenable
Qui doit pourtant être conquise.

Au risque de demeurer dans les limbes
Pour une éternité
Ou deux
Jusqu'au Ragnarok.

Je me sens prêt,
Prêt à essayer,
Prêt à quitter ces limbes.
Revenir...
Revenir à la vie.

Abandonner à mon tour,
Sans un seul regard,
Les souffrances de mon passé,
Tous mes souvenirs de toi.

T'exorciser à tout jamais,
Renaître neuf,
Nettoyé de ton impureté.

L'ultime abandon.

Sept

La nuit tombe,
Il va rôder,
Entrant sans bruit
Vérifier les lits
Des enfants endormis,
Arrachant des cris
De ceux faisant semblant
Pour faire plaisir à maman.
Si le sommeil est vrai,
Il continue sans effroi.
Cependant,
Si jamais l'envie prend,
À l'enfant,
D'être éveillé à sept heures tapant,
Le Bonhomme le prend
Et dans les cris de l'enfant
L'enlève à tout jamais.

Chute

Lâché du ciel parmi tes frères,
Sans parachute aucun,
Tu tombes, toujours plus rapidement.
Au sol, les gens te pointent.
Certains paniquent.
Une fillette t'attend,
Impatiemment,
La langue sortie,
Prête pour le premier
Flocon de l'année.

Victoire

J'avance, fier dictateur
Sur le champ de bataille
De cette guerre de longue haleine
Tout juste remportée.

Les corps des soldats ennemis
Et ceux des miens
Tapissent le sol à perte de vue.
Je les piétine sans scrupule.

En tant que vainqueur,
J'ai tous les droits
Sur ce pays
Comme sur tant d'autres.

La guerre ne fut pas aisée.
Alors que je croyais avoir gagné,
L'ennemi a monté une dernière défense
Et m'a fait ressortir quelques temps.

Je suis resté tapi une semaine,
Rassemblant mes forces
Pour un dernier assaut décisif
Qui remporta le conflit.

J'ai vaincu!
Je suis le vainqueur éphémère.
L'automne a disparu,
Place au règne de l'hiver.

Voyageur

Coup de vent me repoussant
Ici-bas sur terre,
Loin de la maison,
Éjecté sans cérémonie.
Marche forcée,
Sous mes pieds,
Les pavés inégaux
Guident ma progression.
Une réalité nouvelle.
Perdu, je suis perdu,
Vide de toute âme
Vivante ou morte.
Je déambule, perdu.
Verte de vie passée,
Elle est grise et morte,
Morne aussi.
Sa propre âme n'y est plus.
Enfin!
Un indigène.
Il pourra me guider.
Je m'assois à ses côtés
Et me laisse mourir à mon tour.

No? Well...

Salut, ça va?
Non, comment ça?
Tu trouves ça rough le temps des fêtes?
Criss, j'te comprends, p'tite tête.

C'est pas toujours facile
Que de marcher sur un mince fil,
De ne pas pouvoir dire ce qu'on pense,
Pour pas attirer le jugement des genses.

C'pas compliqué pourtant,
Soit tu souris tout l'temps,
Soit t'es pointé du doigt,
T'es l'grinch, tu vois.

Ça devrait être ton choix, me semble...
T'as l'droit d'pas aimer la fin d'décembre.
Qui est-ce qu'on est pour te juger?
Y'a personne icitte qui connaît ton passé.

Moi, si j'aime ça?
Ben là, j'te mentirai pas...
Oui, c'est simple, ça m'rend heureux,
J'm'en fous qu'ça soit commercial et coûteux.

J'aimerais ben qu'ça soit pas d'même,
Qu'ça soit plus être avec ceux qu'on aime.
Si j'te laisse ronchonner tranquilos?
Vas-tu m'laisser en profiter calmos?

On peut-tu s'entendre là d'sus?
Câller un cesser-le-feu de visu?
No? Well...
J'va quand même fêter Noël.

Versifié

Prisonnier, un ver,
Se tortille dans un verre,
Sur le gazon vert.
Envahi de sentiments amers,
Il ne pense qu'à sa mère,
Sacrifiée lors d'une pêche en mer.
Un sacrifice éphémère,
Qui n'offre en mémoire que ces vers.

Peine

Y fait noir,
En tout cas, c'est ça que j'vois
Ou que j'vois pas, c't à voir,
Juste du noir.

Des fois, y'a une tache de lumière,
J'ai appris à la r'connaître,
Quand à passe, je r'garde pas,
Ça m'fait trop mal.

Mon cœur s'est habitué
À naviguer à l'aveugle
Depuis qu'tu y as crevé les yeux.
J'veux pas qu'ça change.

Chu tanné qu'ça fasse mal
Quand j'vois quelqu'un qui t'ressemble,
Quand j'vais dans un d'nos anciens spots,
Quand y jouent Here Comes the Sun à radio.

Chu juste tanné.
J'veux qu'ça s'arrête.
J'veux rester dans l'noir,
Loin d'tout, loin d'toi.

J't'avais donné mon cœur,
Tu l'as crissé dans l'blender,
Tu l'as parti à High
Pis tu l'as r'gardé disparaître.

Tu t'en sacrais ben raide
De c'que ça pouvait ben m'faire.
T'avais c'que tu voulais,
J'souffrais enfin autant qu'toi.

Non...
J'avais pas l'droit d'ben aller, moi.
Si toi, t'en arrachais,
Y fallait que l'monde entier brûle avec toi.

J't'aimais.
J't'aurais tout donné.
J'ai tout donné
Juste pour pouvoir t'aider.

On voit ben c'que ça a donné.
T'es quand même partie.
T'as décrissé ma vie
Pis t'as sacré l'camp.

L'pire dans tout ça
C'est qu'y faut quand même
Que j'ferme les yeux
Quand j'vois une belle fille passer.

C'pas sa face que j'vois,
C'est toujours la tienne.
Malgré tout ça...
J't'aime encore.

Boulevard Annexe
Des Poèmes Oubliés

Les poèmes suivants ont été écrits dans un passé composé précédant la rédaction de ce qui deviendrait Le Petit Carnet Rouge. Plutôt que de les laisser devenir SDF, j'ai décidé de les héberger sous ce toit.

Chacun a une petite histoire concernant sa création que j'ai incluse suite au poème en italique.

Bonne lecture!

Amer-tune

Voici les mots amers,
Échoués de la mer,
D'une ville super
Qu'il ne faut pas taire.

Je suis présentement amer
De n'avoir pu présenter de pair
Un poème pour ma mère
Lorsqu'est venu mon tour de le faire.

Quand je parle de mère,
Je signifie mon pied à terre,
Cette ville que j'ai dans la chair,
Montréal, ma chère.

Je me suis présenté
À une soirée, bien motivé,
Croyant enfin braver
Mon tract de m'affirmer.

Ce ne fut pas le cas,
Je me mis les pieds dans les plats,
Sonnant mon propre glas
Par un poème plat, un vrai dégât.

Allant moi-même à l'encontre
De tout ce en quoi je suis contre,
J'ai causé ma propre rencontre
Avec ma plus grande honte.

Une suite de mots sans queue ni tête...
Pourquoi ceux-ci n'ont pas fait la requête
Au reste de mon être
De rester tranquilles, de disparaître.

Maintenant que je suis à la maison,
Dans mon sanctuaire de salon
Et qu'enfin, je contrôle mes émotions,
Je me rends bien sûr à la raison.

Pourquoi n'ai-je pas dit non?
Pourquoi le croyais-je bon?
Pourquoi ai-je bravé ce mont?
Pour sûr, parce que je suis con.

Ces vers que je vous partage
Ne rendent pas tant hommage,
Ils sont plutôt un présage
Pour me faire pardonner le carnage
D'un poème déjà volage.

Je me sens survivant d'un naufrage,
N'ayant pour seul breuvage
Que le désir de mon équipage
De partager mon barbouillage
Pour reposer en paix, un peu plus sage.

Je me permets de terminer
Par ces mots bien pensés,

Dans le but de me faire pardonner
Montréal, mon amour adoré.

Voici les mots amers,
Échoués de la mer,
D'une ville super
Qu'il ne faut pas taire.

*La première fois que j'ai participé à une lecture de
poésie, c'était dans le cadre de la Nuit Blanche de
Montréal, lors de l'édition 2014 au Musée Redpath. Il
y avait alors un atelier d'écriture de poésie et de slam
animé par des slammeurs professionnels. Les
participants étaient invités à écrire dans un studio
sous la tutelle desdits animateurs. Le thème de la
soirée étant Montréal, il était conseillé mais non
obligatoire d'écrire sur le sujet. J'avais été estomaqué
par les performances auxquelles j'avais assisté depuis
mon arrivée. À la pause suivante, je me suis donc
installé à l'atelier et j'ai "pondu" une merde
innommable. Lorsque le micro libre a repris, je me
suis présenté avec mon "poème" (une suite illogique
de mots sans fil conducteur ni aucun sens quel qu'il
soit). En le déclamant, j'avais honte. J'écrivais des
chansons depuis quelques années déjà et je ne pouvais
comprendre comment j'avais pu écrire un poème aussi
atroce. Les participants étant très polis, ils m'ont
quand même applaudi et je suis resté jusqu'à la fin de
l'atelier. En revenant chez moi, j'ai écrit Amer-tune.
La soirée aura au moins servi à ça...*

Sur la rue Sainte-Catherine

Sur la rue Sainte-Catherine,
M'en allant dépenser,
J'ai trouvé la pute si belle
Que j'me la suis payée.

Sortez l'argent
Et comptez-le.
Payez la belle,
C'est bientôt l'heure.

Sous un sombre portique,
J'ai compté mon argent.
Sur le trottoir tout près,
Les passants m'observaient.

Sortez l'argent
Et comptez-le.
Payez la belle,
C'est bientôt l'heure.

Observez-moi, passants.
De votre fibre morale,
Vous aimez bien juger,
Je ne peux vous empêcher.

Sortez l'argent
Et comptez-le.
Payez la belle,
C'est bientôt l'heure.

La dame m'a renvoyé
Après que j'ai payé
Pour un condom tout rose
Que je ne voulais porter.

Sortez l'argent
Et comptez-le.
Payez la belle,
C'est bientôt l'heure.

J'aimerais que le condom
Soit à la pharmacie
Et que la prostituée
M'ait gardé dans son lit.

Sortez de chez elle,
Sans dignité.
Rentrez chez vous,
C'est maintenant jour.

Ce pastiche sur "À la claire fontaine" a été écrit alors que j'étais en secondaire cinq lors de mon cours de création littéraire donné par M. Daniel Marivat. Le poème a été co-écrit avec mon ami Jules Dubé-Pache. Lorsque je lui ai demandé la permission d'inclure ce pastiche dans le recueil, il a accepté avec générosité. Ce que vous lisez est malheureusement une réécriture de ma part écrite spécifiquement pour ce recueil car j'ai perdu le texte original depuis belle lurette. Je crois tout de même être resté fidèle à l'idée de base.

Beauté Cachée

Beauté cachée, Beauté gâchée,
Beauté souillée, Beauté oubliée.

Nous crachons sur ton beau visage
Comme sur une pute de bas étage.
Nous te défigurons,
Nous te traitons comme un pion.
Alors qu'en toi sommeille une reine,
Rêvant qu'on s'occupe de sa peine.
Tu espères toujours ta liberté
Mais nous refusons de te la donner.
C'est aujourd'hui ton anniversaire
Pourtant bien peu penseront à te plaire.
Tous continueront leurs machinations,
La solitude, ton seul compagnon.
On peut toujours voir ta beauté
Sous les cicatrices qu'on t'a laissées,
Pour peu qu'on soit intéressés,
Notre aide pourrait t'en débarrasser.
Je t'écris en ce jour, mon amour,
Sachant que d'autres le feront à leur tour
Et je garde espoir qu'un jour prochain,
Qui ne sera sûrement pas demain,
Que nous puissions te libérer,
Que nous puissions te soigner,
Que nous puissions te regarder,
Que nous puissions enfin t'aimer.

Beauté cachée, Beauté gâchée,
Beauté souillée, Beauté oubliée,
Beauté retrouvée, Beauté sauvée,
Beauté protégée, Beauté rêvée.
Planète Terre en bonne santé.

J'avais écrit cette chanson en 2010 dans les petites heures du matin du Jour de la Terre. Je ne suis pas un écologiste ou même un écosensible à proprement parler mais la Terre est la seule planète que l'on a et je suis triste de voir ce qu'on lui fait subir. Ce petit texte a été écrit dans cette optique.

Blue Sky no More

Today, the sky is gray
Never again
No more again
Will I see you smile.

Your time here is over
Someone out there
Somewhere out there
Took you back with him.

A light is gone from this world
No more will it shine on us
No more will it comfort us
Over is over, blue sky no more.

You fought like a lion
Never back down
Until you're down
The rock didn't move.

Listen to what I say
We will respect
Always respect
What we learned from you.

A light is gone from this world
No more will it shine on us
No more will it comfort us
Over is over, blue sky no more.

Today the sky is gray
Somewhere out there
Some place out there
I know you're in peace.

A light is gone from this world
No more will it shine on us
No more will it comfort us
Over is over, blue sky no more.
Over is over, blue sky no more.

J'ai écrit cette chanson quelques heures avant le décès de mon grand-père maternel, Léo Ducharme, le L. auto-ajouté à mon nom en hommage à ce grand homme. Il a été très important pour mes parents, ses enfants, moi, son seul petit-fils et ses deux arrière-petits-enfants qui ont eu la chance et l'honneur de le côtoyer quelques années. Je sais qu'ils garderont de cet homme exceptionnel des souvenirs aussi puissants que les miens.

Table des Matières

Écrits dans le petit carnet rouge
Durant l'année 2014
Et avant pour certains...

Quelle belle aventure!

Adieux

C'est le cœur lourd
Que je fais mes adieux
À un ami aimé
Qui m'a toujours écouté
Sans jamais me juger.
Peu importe l'heure
Où je communiquais avec lui,
Il m'accueillait avec générosité,
Sans aucune arrière-pensée.
On a eu du plaisir ensemble.
On est sortis dans les bars
Et dans les cafés aussi.
On s'en foutait d'où on était,
Pour autant que nous nous sentions...
Bien.
Il fut pour moi un ami fidèle,
Mon confident incomparable.
C'est le cœur lourd
Que je lui fais aujourd'hui
Mes adieux.
Mon petit carnet rouge est terminé.

Printed in Great Britain
by Amazon